Die Reise seines Lebens

Lisa Ray Turner an

TPRS
BOOKS

Written by Lisa Ray Turner and Blaine Ray
German by Helen Small
Redaction by Julie Baird, Christine Stollberg and Frieda Halder
Design by Nataly Valenica Bula
Illustrations by Laia Amela Albarran

Published by:
TPRS Books
9830 S. 51st Street-B114
Phoenix, AZ 85044

Phone: (888) 373-1920
Fax: (888) RAY-TPRS (729-8777)
www.tprsbooks.com | info@tprsbooks.com

ISBN-10: 0-929724-78-X
ISBN-13: 978-0-929724-78-2

Inhaltstabelle

Kapitel eins
Eine mysteriöse Frau

Karl Meier macht eine Reise. Es ist die Reise seines Lebens. Die Reise ist ein Geschenk von seinen Eltern. Er wird die Reise mit seinen Eltern und seiner Schwester machen. Seine Schwester heißt Teresa. Die Familie macht eine Busreise durch Deutschland. Der Bus fährt von Frankfurt nach Rothenburg ob der Tauber, dann nach Heidelberg, und dann nach Rüdesheim am Rhein.

Karl, Teresa, und ihre Eltern fliegen von Chicago nach Frankfurt. Frankfurt ist nicht wie Ohio, wo die Familie Meier wohnt. Frankfurt ist eine große Stadt mit vielen Hochhäusern und Banken. Frankfurt ist das Bankenzentrum von Deutschland.

Der Flug verläuft ruhig und die Familie kommt gut in Frankfurt an. Viele Leute reisen mit dem Bus. Die Leute tragen Touristen-Kleidung. Eine Frau sagt: „Willkommen! Ich bin die Tourleiterin." Sie trägt eine weiße Bluse, eine dunkelblaue Hose, und eine dunkelblaue Jacke.

„Dieser Bus ist sehr schön, mit großen Fenstern", sagt Karls Mutter. Sie spricht sehr laut, und Karl wird rot, weil er glaubt, dass alle seine Mutter hören können. Ihre Stimme ist sehr laut.

„Sehr schön", sagt Karls Vater zu seiner Frau. „Der Bus gefällt mir."

Karl und Teresa schauen sich an und lachen. Sie glauben, dass ihr Vater manchmal ein bisschen verrückt ist.

Der Bus fährt vom Frankfurter Flughafen nach Rothenburg. Das Hotel in Rothenburg ist klein, aber fein.

Alle gehen in ihre Zimmer. Die Familie Meier geht auch in ihr Zimmer. Es ist sehr klein. Die Zimmer sind sehr klein und es gibt auch ein kleines Badezimmer im Gang. Alles ist in Blau.

„Es ist ein sehr gemütliches Hotel. Und wir sind direkt in der Altstadt", sagt Karl.

„Es ist nicht wichtig, dass das Zimmer klein ist. Wir verbringen nicht viel Zeit im Zimmer", sagt Karls Mutter. „In der Stadt gibt es Museen, Restaurants, und viel zu sehen. Alles ist in der Nähe. Es ist nicht wichtig, wo wir schlafen."

„Ja. Ich habe Hunger. Es ist fast zwölf Uhr. Gehen wir jetzt etwas essen?" sagt der Papa. Er hat immer Hunger.

„Ja, gehen wir! Ich habe auch Hunger", ruft Teresa. Teresa hat auch immer Hunger.

Die Familie geht ins Restaurant im Hotel. Es sind viele Leute im Restaurant. Alle lächeln fröhlich und sind wie Touristen gekleidet. Es gibt keine freien Tische, aber der Kellner leitet die Familie Meier zu einem Tisch, wo schon ein junges Ehepaar sitzt. Karls Vater sagt: „Aber es sind schon Leute hier!"

Der Kellner lacht. Er sagt: „Das macht

nichts. Das ist ganz normal in einem Restaurant in Deutschland." Der Kellner ist sehr groß, hat weiße Zähne und langes glattes Haar. Er lacht wieder und fragt: „Was darf es sein?"

„Ein Schnitzel mit Spätzle und ein Mineralwasser", sagt Papa.

„Ich möchte auch ein Mineralwasser und eine Bratwurst mit Pommes Frites", sagt die Mama.

„Ich möchte eine Pizza Margherita mit viel Käse, und eine Fanta", sagt Teresa.

„Ich auch, und eine große Cola", sagt Karl.

Der Kellner lächelt und geht zurück in die Küche.

Karls Familie grüßt das Ehepaar.

„Woher kommen Sie?" fragt Karl.

„Wir kommen aus Chicago. Wir sind auf unserer Hochzeitsreise", sagt die junge Frau. Dann schauen sie sich in die Augen und sprechen nicht mehr mit Karls Familie. Karls Mutter schaut sie an und lächelt.

„Schaut aus dem Fenster. Die Altstadt ist so schön", sagt der Papa.

Alle schauen aus dem Fenster. Sie können das schöne alte Rathaus sehen. Der Vater sagt:

„So etwas gibt es nicht in Ohio."

„Bestimmt nicht, Papa. So etwas Schönes haben wir nicht in Cincinnati", antwortet Teresa.

„Sag das nicht, Teresa. Ohio ist schön. Da sind wir zu Hause", sagt die Mutter.

Karl schaut die Leute im Restaurant an. Viele sind von der Reisegruppe. Da ist eine Familie mit drei Kindern. Sie essen alle Pizza. Drei alte Männer sitzen an einem Tisch neben dem Fenster. Sie spielen Karten und trinken Bier. Auf dem Tisch steht ein Schild mit dem Wort „Stammtisch". Es sind auch einige Ehepaare da. Ein Ehepaar ist alt. Karl glaubt, dass sie bestimmt Großeltern sind. Ein anderes Ehepaar hat Sommerkleidung an. Beide haben braunes Haar. Sie sehen sehr gut aus, aber sie sprechen nicht. Karl denkt, dass sie ein kleines Problem haben, weil sie nicht miteinander sprechen. Sie sagen nichts.

Dann sieht Karl eine Frau in der Ecke. Sie ist groß und dünn. Sie hat langes, glattes Haar. Ihr Haar sieht ganz komisch aus, weil es lila ist. Sie trägt eine blaue Bluse und einen weißen Pullover. Ihre Arme sind klein und ihre Lippen sind auch lila. Sie ist nicht schön, aber Karl schaut sie lange an.

„Schaut diese Frau an", sagt Karl. Alle schauen sie an. „Sie ist die erste Frau, die ich mit lila Haar sehe."

„Das stimmt, Karl. Sie sieht ganz ungewöhnlich aus. Und sie ist sehr dünn", sagt
Teresa.

„Hier ist das Schnitzel und die Bratwurst. Die zwei Pizzas kommen gleich. Ich
bringe sofort Ihre Getränke, zwei Mineralwasser, eine Fanta und eine Cola", sagt
der Kellner, als er an den Tisch kommt.

Alle essen und sprechen. Sie sprechen
über die Busreise und den Flug. Sie sprechen über Ohio und Rothenburg. Karl hört
nicht zu. Er beobachtet die Frau mit dem lila
Haar. Teresa hat Recht, die Frau ist wirklich
anders. Sie hat kleine Arme. Sie sieht wie ein
Insekt aus. Ihre Arme und Beine sind wie
die Arme und Beine eines Insekts.

Die Insektenfrau setzt sich an den
Tisch des alten Ehepaars in der Ecke. Karl
fragt sich: „Ist sie ihre Tochter?"

Sie spricht mit ihnen. Karl versucht
zu hören, was sie sagt, aber er hört nichts.
Sie sitzt neben der alten Frau. Die Frau lächelt und lacht. Dann macht die Insektenfrau etwas. Es ist nicht normal. Karl ist überrascht. Die Insektenfrau steckt die Hand
unter den Tisch und nimmt etwas aus der
Handtasche der alten Frau. Karl kann nicht
sehen, was sie nimmt, aber er weiß, dass sie

6

etwas in der Hand hat. Er versucht, es zu
sehen. Er kann es nicht richtig sehen. Plötz-
zlich sieht er ein glänzendes Licht. Das Licht
ist wie ein Diamant. Die Insektenfrau steckt
etwas in ihre Hosentasche.

Karl glaubt, dass die Insektenfrau
etwas gestohlen hat. Er glaubt nicht, dass
sie die Tochter des Ehepaars ist. Sie ist eine
Diebin. Sie hat etwas von ihnen gestohlen.
Es ist furchtbar, weil sie etwas Teures von
dem alten Ehepaar gestohlen hat.

Karl versucht nicht zuzuschauen. Er
glaubt, dass er nicht zuschauen soll, aber es
ist unmöglich. Er muss zuschauen. Er kann
nicht wegschauen.

Karl schaut die Insektenfrau an und
die Insektenfrau schaut Karl an. Die Augen
der Frau gefallen ihm nicht. Die Augen sind
böse und grausam. Er glaubt, dass sie die
Augen einer Diebin sind. Vielleicht sind sie
die Augen von jemandem, der lügt. Sie sind
sicher die Augen von jemandem Bösen.

Die Frau steht auf und geht langsam
von dem Tisch weg. Sie geht, wie jemand
ohne Sorgen. Sie geht, wie eine Person, die
nicht stiehlt und niemanden beraubt. Karl
denkt: „Oh nein, oh nein", aber er sagt
nichts.

Karls Mutter schaut Karl an und

8

fragt: „Karl, was ist los? Bist du krank?"

Karl hört seine Mutter und sagt: „Nein, Mama, mir geht's gut. Mir geht's sehr gut. Ich bin nicht krank. Die Reise gefällt mir."

Karl trinkt seine Cola, aber er fühlt sich nicht wohl. Er fühlt sich schlecht, sehr schlecht.

Jetzt geht die Insektenfrau aus dem Restaurant. Sie hat etwas in den Händen oder in der Hosentasche. Karl weiß, dass sie etwas hat. Die Frau sieht böse aus. Nur Karl weiß warum.

Kapitel zwei

Im Restaurant

Alle essen. Alle haben Hunger. Alle außer Karl. Er hat keinen Hunger mehr. Karl kann nur an die Insektenfrau denken. Er spricht mit keinem über sie. Er weiß nicht, was er machen soll. Wer ist sie? Warum stiehlt sie? Warum hat sie etwas von der alten Frau gestohlen? Was hat sie gestohlen? Soll er mit jemandem über sie sprechen? Aber mit wem? Es gibt keinen Polizisten in der Nähe. Karl denkt den ganzen Tag darüber nach. Als die Familie die Altstadt besichtigt, denkt Karl nur an die Insektenfrau. Im Museum denkt Karl nur an die Insektenfrau. Als sie einen Rundgang an der Stadtmauer entlang machen, denkt Karl nur an die In- sektenfrau.

Am Abend haben alle Hunger. Jetzt geht die Familie in ein Restaurant zum Abendessen. Das Restaurant ist fast voll. Sie setzen sich an den letzten freien Tisch. Es gibt sechs Stühle am Tisch. Vielleicht setzen sich andere zu ihnen?

„Ich habe Hunger", sagt der Papa. „Das Essen in Deutschland ist gut."

„Klar ist das Essen gut", sagt die Mutter. „Das Restaurant heißt ‚Zur Guten Speise.' Das Essen muss gut sein."

„Gibt es Pizza?" fragt Teresa. „Ich möchte Pizza essen."

Pizza schmeckt Teresa immer besser als alles andere. Sie isst nur Pizza. Etwas anderes isst sie nicht gern.

Karl und seine Familie schauen die Speisekarte an. Während sie lesen, kommen zwei Leute und setzen sich an denselben Tisch. Karl ist ganz überrascht, als er sieht, wer sie sind. Es ist das alte Ehepaar.

„Guten Abend", sagt die alte Frau.

Sie lächelt. Sie ist sehr nett und ein bisschen dick. Sie sieht wie eine Oma aus.

„Ich heiße Maria Schmidt."

„Und ich bin Max Schmidt."

Der Mann ist sehr alt. Er hat nicht viele Haare. Aber er lächelt viel.

„Wir sind die Familie Meier", sagt Karls Vater. „Nett, sie kennenzulernen. Ich bin Robert und das ist meine Frau Monika.

11

Das sind unsere Kinder. Der Junge heißt
Karl und das Mädchen heißt Teresa."

„Angenehm", sagt Frau Schmidt.

Sie schaut Karl und Teresa an.

„Sie haben nette Kinder."

Frau Schmidt ist wie eine Oma. Sie
lächelt wie eine Oma und spricht wie eine
Oma. Karl fühlt sich wie ein vierjähriges
Kind.

„Es ist nett mit Ihnen zu essen. Das
Restaurant ist schön, nicht wahr?" sagt
Karls Mutter.

„Ja. Alles ist sehr schön", sagt Frau
Schmidt zu ihnen. „Und ich freue mich, mit
Ihnen essen zu können."

„Es ist sehr nett, Leute wie Sie kennenzulernen", sagt Herr Schmidt. „Woher
kommen Sie?"

„Wir kommen aus Cincinnati, aus
Ohio", sagt der Vater. „Und Sie?"

„Wir wohnen jetzt in Los Angeles.
Wir wohnen seit vielen Jahren in den Vereinigten Staaten. Wir kommen ursprünglich
aus Deutschland. Wir kommen aus einer
kleinen Stadt am Rhein. Die Stadt heißt St.
Goarshausen. Das ist in der Nähe des Loreleyfelsens. Wir sind froh, dass wir bei dieser

Reise diese Stadt besuchen. Es ist das erste Mal seit vielen Jahren, dass wir in Deutschland sind. Morgen fahren wir nach Heidelberg und übermorgen machen wir eine Rheinfahrt von Rüdesheim zur Loreley."

„Wie ist es am Loreleyfelsen?" fragt

13

Karls Mutter.

Herr Schmidt spricht viel über den Rhein und den Loreleyfelsen. Er sagt, dass der Rhein sehr lang und sehr wichtig ist. Es gibt viele alte Burgen am Rhein entlang. Es gibt viele Weinberge. Es gibt viele Touristen. Der Rhein ist sehr schön. Der Loreleyfelsen ist sehr hoch und gefährlich für Schiffe. Er erzählt ein bisschen über die Legende der Loreley.

„Viele glauben, dass eine schöne Frau oben auf dem Felsen sitzt. Sie heißt Loreley. Sie singt und kämmt ihr langes, goldenes Haar. Sie singt so schön, dass die Männer auf den Schiffen nicht auf das Wasser schauen. Sie sehen und hören nur die schöne Frau Loreley und fahren ihre Schiffe in den Felsen, um die Loreley besser zu sehen. Ihre Schiffe sind dann kaputt", erklärt Herr Schmidt.

„Dann fahren sie mit den Schiffen gegen den Felsen, und die Schiffe versinken", sagt Frau Schmidt. „Es ist natürlich nur eine Legende. Aber oben auf dem Felsen ist eine Statue von der Loreley. Und es gibt da oben auch ein Freilichttheater, wo man ein Theaterstück über die Loreley sehen kann. Und die Aussicht von da oben ist wunderschön!"

Frau Schmidt spricht schnell, weil sie aufgeregt ist.

„Ich kenne ein Lied über die Loreley", sagt Karls Mutter. „Soll ich es singen?"

„Nein!" sagen Karl und Teresa! Herr und Frau Schmidt lächeln.

„Wir kennen das Lied auch", sagt Herr Schmidt.

„Ich habe das Lied in der Schule gehört", sagt Karl. „Wir haben auch das Gedicht von Heinrich Heine gelesen. Es war interessant, aber schwer", sagt Karl.

Karl weiß viel über die Loreley und den Rhein. Er weiß, dass der Rhein in der Schweiz beginnt und bis zur Nordsee fließt. Er weiß, dass er ein wichtiger Fluss ist. Er weiß auch viel über die Schlösser und Burgruinen am Rhein.

„Wir kennen schon die Burgen am Rhein", sagt Frau Schmidt. „Wir besuchen meine Schwester Susanne in St. Goarshausen. Wir haben ein Geschenk für sie. Sie wohnt noch hier in Deutschland."

„Ein Geschenk?" fragt Karl.

„Ja. Es ist eine Halskette. Es ist eine Halskette von meiner Großmutter. Wir haben keine Kinder. Die Halskette gehört un

15

serer Familie. Ich möchte sie Susanne geben.
Dann kann sie die Halskette ihrer Tochter
geben", sagt Frau Schmidt.

Karl ist traurig. Jetzt weiß er, dass
die Insektenfrau die Halskette von Frau
Schmidt gestohlen hat. Es ist eine besondere
Halskette, sehr alt und wertvoll. Karl ist sehr
verärgert, als er daran denkt.

„Wir wollen ihr die Halskette oben

auf dem Loreleyfelsen geben", sagt Frau Schmidt. „Morgen fahren wir nach Heidelberg, und übermorgen nach Rüdesheim zur Rheinfahrt. Nach der Rheinfahrt besuchen wir ein Restaurant in St. Goarshausen. Ich freue mich sehr, meine Schwester wieder zu sehen. Ich habe Susanne lange nicht gesehen."

Karl weiß nicht, was er machen soll. Soll er mit den Schmidts über die Insektenfrau sprechen? Er sieht die Augen von Frau Schmidt an. Sie ist sehr nett. Karl kann ihr die schlechte Nachricht nicht geben. Wenn sie weiß, dass sie die Halskette nicht mehr hat, wird sie sehr traurig sein. Karl wird die Halskette wieder finden. Er wird die Insektenfrau suchen. Karl wird die Halskette finden und sie Frau Schmidt zurückgeben.

Kapitel drei

Das Geheimnis

Am nächsten Morgen fahren alle mit dem Bus nach Heidelberg. In Heidelberg gibt es viel zu sehen. Es gibt eine Führung durch die Altstadt. Dann gehen alle zum Schloss und schauen es an. Da sehen sie das größte Weinfass Deutschlands. Vom Park aus kann man die Stadt von oben sehen. Karl sieht unten den Neckar und die Weinberge. Er versucht nicht an die Instektenfrau zu denken. Endlich sind sie wieder im Hotel.

„Du bist schlecht gelaunt. Warum bist du so schlecht gelaunt?" fragt Teresa.

Teresa ärgert sich über Karl. Karl denkt an Herrn und Frau Schmidt. Er denkt so sehr an sie, dass ihm die Reise keinen Spaß macht. Die ganze Familie hat Spaß außer Karl. Die anderen gehen in die Stadt, aber Karl geht nicht mit. Die Eltern gehen in ein Museum, aber Karl kommt nicht mit.

18

Karl will immer nur die Instektenfrau beobachten, aber zuerst muss er sie finden. Am
Abend sucht Karl die Insektenfrau im Hotel.

„Karl, komm mit uns. Wir gehen und
hören Musik. Du sollst nicht schlecht gelaunt sein", sagt Teresa zu ihm. „Wir haben
bestimmt viel Spaß."

„Stör mich nicht, Teresa. Ich denke
über wichtige Sachen nach", sagt Karl.

„Zum Beispiel?" fragt Teresa. „Denkst
du an spazieren gehen oder an schlafen?
Karl, wir sind in Deutschland! Wir sind hier,
um Spaß zu haben. Aber du hast keinen
Spaß daran. Du machst nichts. Du musst leben, Karl."

„Teresa, ich habe keine Zeit für Spaß.
Es gibt wichtige Sachen zu tun", antwortet
Karl.

„Oh, ja, ja, wie zum Beispiel im Hotel
herumlaufen", sagt Teresa.

„Das ist es nicht", sagt Karl.

„Also, was ist es?" fragt ihn Teresa.

„Es ist ein Geheimnis", sagt Karl.

„Geheimnisse gefallen mir. Sag mir
dein Geheimnis. Ich sage es keinem. Dein
Geheimnis ist mein Geheimnis. Ich verspreche es", sagt Teresa.

„Bitte, Teresa, sag es nicht unseren Eltern. Klar?" antwortet Karl.e.

„Ich sage es niemandem. Dein Geheimnis ist mein Geheimnis", wiederholt Teresa.

„Erinnerst du dich an diese komische Frau? Die Frau, die wie ein Insekt aussieht?"

„Die Frau mit dem lila Haar?"

„Ja, sie", sagt Karl. Karl erzählt ihr alles. Er erzählt ihr, dass die Instektenfrau die Halskette der Familie Schmidt gestohlen hat.

„Das ist ja furchtbar!" ruft Teresa. „Wir müssen diese furchtbare Frau finden."

„Wo ist sie? Ich suche sie schon lange. Ich finde sie nicht."

„Du bist so dumm, Karl! Du weißt nicht, wo du suchen sollst", sagt ihm Teresa. „Sie bleibt nicht im Hotel. Ich glaube, sie geht in die beliebten Lokale der Stadt. Sie geht abends in eine Kneipe. Sie geht ins Theater und in Museen. Sie geht da hin, wo es viele Leute gibt."

„Teresa, du weißt immer alles. Also, wo ist sie denn?"

„Sie ist bei dem Folkloreabend in der Stadt. Es ist unglaublich. Es gibt fantastische

Musik und ein wunderbares Essen. Sie ist bestimmt da."

"Das ist möglich, Teresa."

"Gehen wir, Karl. Gehen wir und suchen sie."

"Abgemacht. Gehen wir."

"Und Karl, versuch ein bisschen Spaß zu haben. Lächle doch."

****

Es gibt alle Sorten deutsches Essen bei dem Folkloreabend. Es gibt Bratwurst, Schnitzel, Sauerkraut, Spätzle, und vieles mehr. Es gibt Schokoladensahnetorte, Schwarzwälderkirschtorte, und Käsekuchen.

Alle von der Busreise sind da. Alle sind elegant gekleidet. Alle lachen und sprechen. Nachdem sie das Essen bestellt haben, beginnt die Vorstellung.

Zuerst gibt es einen tollen Schuhplattler. Dann singt eine Frau in einem Dirndl ein altes deutsches Volkslied. Alle hören zu.

Teresa hat Recht. Alle von der Busreise sind hier. Karl möchte die Insektenfrau finden.

Karl bekommt Rouladen mit Kartoffelklößen. Teresa bekommt Bratwurst mit Pommes Frites. Es gibt keine Pizza. Alles schmeckt sehr gut.

„Das Essen ist super", sagt Teresa.

„Es macht wirklich Spaß", sagt Karl. „Ich bin doch froh, dass ich hier bin."

Während sie essen, sucht er die Insektenfrau.

„Siehst du deine Diebin?" fragt ihn Teresa.

„Nein, noch nicht", sagt Karl.

„Sie kommt bestimmt. Alle anderen Lete sind schon hier", sagt Teresa.

„Ja, das sehe ich. Es sind viele Leute hier."

„Gefällt dir die Musik?" fragt Teresa. „Sie singen auf Deutsch."

„Ja, sie gefällt mir", sagt Karl.

„Ich möchte tanzen, Karl. Ich kann nicht tanzen, aber du kannst gut tanzen. Du kannst es mir zeigen", sagt Teresa.

Karl isst seine Rouladen und Teresa isst ihre Bratwurst. Dann tanzen sie. Karl zeigt Teresa, wie man einen Walzer tanzt. Er findet es komisch, mit seiner Schwester zu tanzen, aber das macht nichts. Eine Schwes-

ter muss auch tanzen lernen.

"Du tanzt sehr gut", sagt Karl zu ihr.

"Wirklich?" fragt Teresa und lächelt.

Während er tanzt, sieht Karl die Insektenfrau. Er kann es nicht glauben. Da sitzt sie, allein an einem Tisch in der Ecke. Sie isst Käsekuchen und schaut zu, wie die anderen Gäste tanzen.

"Teresa", sagt Karl, "schau. Da ist die Insektenfrau."

Teresa schaut dahin.

„Du hast Recht", sagt sie. „Heute abend, in ihrem langen schwarzen Kleid, sieht sie noch mehr wie ein Insekt aus."

„Ja, das stimmt", sagt Karl. „Was mache ich jetzt? Rufe ich die Polizei? Spreche ich mit unseren Eltern?"

„Sprich mit ihr", sagt Teresa. „Sag ihr, dass du weißt, dass sie die Halskette gestohlen hat. Sie gibt die Halskette bestimmt zurück. Ich bin sicher."

Karl hat Angst. Er will nicht mit dieser bösen Frau sprechen. Er hat zu viel Angst.

„Ich weiß, was du machst", sagt Teresa. „Geh zu ihr und lade sie zum Tanzen ein. Du kannst mit ihr sprechen während ihr tanzt."

„Ich weiß nicht", sagt Karl. „Ich will nicht mit ihr tanzen."

„Aber Karl, es ist wichtig. Die Schmidts brauchen deine Hilfe."

Karl geht langsam zum Tisch der Insektenfrau.

„Entschuldigung", sagt er. „Möchten Sie tanzen?"

Die Insektenfrau ist sehr überrascht. Sie sagt zu Karl: „Du bist viel jünger als ich. Wie alt bist du?"

„Das ist nicht wichtig", antwortet Karl.

Die Insektenfrau ist jung, aber nicht so jung wie Karl. Sie ist 25 oder 30 Jahre alt.

Die Insektenfrau lächelt. Sie lächelt mit dem Mund, aber nicht mit den Augen. Endlich sagt sie: „Also gut, tanzen wir. Die Musik gefällt mir."

Karl geht mit ihr. Er hat Angst. Er will mit ihr sprechen, aber er weiß nicht, was er sagen soll.

Karl und die Insektenfrau sprechen während sie tanzen. Sie heißt Lydia Tyler. Sie wohnt in New York. Sie möchte Deutschland sehen und eine Rheinfahrt machen. Sie spricht nicht über ihre Arbeit, aber Karl weiß, dass sie eine Diebin ist.

Sie tanzen zwei Mal. Dann sagt Lydia zu Karl: „Ich glaube, dass ich dich kenne. Du warst doch mit auf der Busreise. Du warst vorgestern im Restaurant im Hotel."

Karl hat jetzt mehr Angst. Er sagt zu ihr: „Sie haben eine Halskette gestohlen. Ich weiß, dass Sie die Halskette gestohlen haben. Ich weiß, dass Sie sie jetzt haben."

Lydia Tyler tanzt nicht mehr. Mit kalten Augen schaut sie Karl an. Sie sagt: „Du weißt nichts."

„Geben Sie mir die Halskette von Frau Schmidt!" schreit Karl.

Lydia schaut ihm in die Augen. *pierce beetle*

„Schau mal, du kleiner Mistkäfer. Du sprichst mit niemandem darüber. Sonst *otherwise* gibt es Probleme. Du wirst große Probleme haben. Du sagst nichts. NICHTS!" schreit Lydia. Die Musik ist sehr laut. Die anderen hören sie nicht.

Lydia geht. Karl ist verärgert. *angry* Er möchte in sein Zimmer gehen. Er möchte mit keinem sprechen. Er möchte nicht tanzen. Er möchte nur schlafen.

Kapitel vier

Auf dem Schiff

„Wir sind in Rüdesheim! Wie schön!" ruft Karls Mutter laut, während sie die kleine Straße entlang gehen. Die Tourleiterin führt sie durch die Stadt zum Schiff für die Rheinfahrt.

„Es ist sehr schön", sagt der Vater. „Es ist genau wie die Schmidts gesagt haben. Der große Fluss, die Felsen, und die Stadt."

Heute machen Karl, Teresa und ihre Eltern die Rheinfahrt an vielen alten Burgen und an dem Loreleyfelsen vorbei. Karl ist aufgeregt, den Loreleyfelsen zu sehen. Er versucht, nicht an die Insektenfrau zu denken. Er hat immer noch ein bisschen Angst. Aber er will auch Herrn und Frau Schmidt helfen.

Während die Tourleiterin etwas erklärt, sieht Karl einen Polizisten auf der Straße.

„Wartet einen Moment!" ruft Karl.

„Ich möchte einen Moment mit diesem Polizisten sprechen."

„Gut", antwortet die Mutter. „Wir warten in diesem Geschäft auf dich. Ich möchte ein T-Shirt mit ‚Loreley' darauf kaufen." Die Eltern und Teresa gehen in das Geschäft.

Karl geht zum Polizisten. Der Polizist sitzt in seinem Auto. Er ist dick, hat dunkles Haar und braune Augen. Karl spricht mit ihm über die Halskette und die Insektenfrau. „Bitte, Herr Polizist. Sie müssen etwas machen. Die Schmidts sind alt. Die Frau ist furchtbar. Sie ist eine Diebin", sagt Karl.

„Das ist wirklich traurig", sagt der deutsche Polizist, und schreibt alles auf. „Die arme Familie Schmidt. Sie tun mir leid. Die Schmidts müssen sich selber melden, bevor wir die Diebin suchen. Ohne Bericht von ihnen kann ich nicht viel machen. Aber ich werde machen, was ich kann."

„Danke", sagt Karl, verärgert. Er geht traurig weg.

„Was ist los? Die Polizei hier kann mir vielleicht nicht helfen", denkt Karl. „Es gibt keinen Polizisten auf der Busreise. Die Tourleiterin kann nichts machen. Wenn wir wieder in den Vereinigten Staaten sind, ist es zu spät. Die Schmidts fliegen zurück nach Los Angeles. Wir fliegen zurück nach Cincinnati. Und Lydia Tyler fliegt zurück nach New York mit der Halskette der Schmidts. Ich muss den Schmidts sagen, dass ich weiß, wer die Halskette gestohlen hat. Dann können sie sich bei der Polizei melden." Aber Karl hat Angst, mit den Schmidts darüber zu sprechen. Karl versucht, nicht daran zu denken.

Karl geht zurück zu seiner Familie. Alle gehen zum Schiff. Das Schiff ist bereit für die Rheinfahrt. Karl und seine Familie steigen ein.

„Hallo Karl", sagt eine nette Stimme auf dem Schiff. Karl schaut hinter sich und sieht Herrn und Frau Schmidt. „Es ist nett, dich wieder zu sehen", sagt Herr Schmidt.

„Es freut mich auch", antwortet Karl. „Freuen Sie sich wieder in Deutschland zu sein?"

„Nein, wir freuen uns nicht. Wir freuen uns nicht mehr", sagt Herr Schmidt.

Karl weiß, warum die Schmidts unglücklich sind, aber er sagt nichts.

„Wie schade. Es ist ein besonderer Tag. Heute sehen wir die Loreley", sagt Karl.

„Es geht uns nicht gut. Wir haben ein großes Problem. Wir wissen nicht, wo die Halskette ist."

„Wie furchtbar!" sagt Karl. Er weiß, wo sie ist, aber er sagt nichts. Vielleicht kann er die Halskette für die Schmidts zurückbekommen. Aber wie?

„Ja, es ist furchtbar", sagt Frau Schmidt. „Ich möchte weinen."

„Wir suchen sie und wir finden sie wieder", sagt Herr Schmidt zu seiner Frau.

„Ich bin traurig. Heute wollte ich diese besondere Halskette meiner Schwester Susanne schenken. Wir können sie später mit Federal Express schicken, aber das ist nicht dasselbe", sagt Frau Schmidt. „Meine

Schwester und ich sehen uns nicht oft. Ich möchte ihr die Halskette selbst in die Hand geben."

„Es tut mir sehr leid", sagt Karl. Er lächelt, aber sagt nichts mehr.

Das Schiff fährt an vielen schönen alten Burgruinen vorbei. Alle schauen die Burgen und die Weinberge an. Keiner wird seekrank, außer Karls Vater. Er ist sehr froh, als die Schifffahrt zu Ende ist. Alle steigen aus und gehen zum Bus. Der Bus wird sie zu einem Restaurant in St. Goarshausen bringen.

Der Bus fährt nach St. Goarshausen. Die Straße ist klein und es gibt viele Kurven. Bald kommen sie am Restaurant an und steigen aus. Karl beobachtet Lydia, als sie aussteigt. Sie war im selben Bus, aber er hatte sie nicht gesehen. Sie lächelt. Sie trägt einen weißen Pullover und eine lange schwarze Hose. Sie hat einen Rucksack. „Ist die Halskette in dem Rucksack?" fragt sich Karl.

Karl schaut die arme Frau Schmidt an. Sie ist so traurig, weil sie die Halskette nicht mehr hat. Karl schaut Lydia, die Insektenfrau, an. Er muss die Halskette für Frau

35

midt finden. Er muss jetzt etwas machen.

Ganz schnell rennt Karl Lydia nach.

„Dieb!" schreit er. Er schaut Frau Schmidt an und ruft: „Diese Frau hat Ihre Halskette!"

Frau Schmidt wird blass. Sie hat Angst.

„Ich bin sicher. Sie hat sie gestohlen. Sie hat sie im Restaurant am ersten Abend gestohlen."

„Mein Sohn, was sagst du? Bist du verrückt?"

„Nein, Vati. Diese Frau hat die Halskette gestohlen!" schreit Karl. Karl dreht Schsich um, aber Lydia ist nicht mehr da. Karl sieht sie. Sie rennt bergauf in Richtung des Parks.

Kapitel fünf

Eine gefährliche Begegnung

„Mutti! Vati! Diese Frau ist eine Diebin!" schreit Karl. „Frau Schmidt, diese Frau hat Ihre Halskette. Sie hat sie am ersten Abend im Restaurant aus Ihrer Handtasche gestohlen!"

„Wie furchtbar!" ruft Frau Schmidt. „Was machen wir jetzt?"

„Wir suchen einen Polizisten", sagt Karls Mutter. „Die Polizei kann sie finden."

„Monika", sagt Herr Schmidt, „diese böse Frau ist nicht mehr hier. Sie rennt schnell. Ich sehe sie nicht mehr. Wir finden sie bestimmt nicht."

„Ja, das stimmt", sagt Frau Schmidt. „Wir finden sie bestimmt nicht mehr."

„Aber sie kann nicht weit kommen", sagt Teresa.

„Ich sehe keinen Polizisten, also müssen wir die Insektenfrau suchen", sagt Karl. „Sie kann nicht weit kommen. St. Goarshausen ist nicht sehr groß."

„Nein, nein", sagt Frau Schmidt. „Diese Frau kann gefährlich sein. Wir suchen die Polizei und melden uns bei ihr. Wir wissen jetzt, wie sie aussieht. Die Polizei kann sie finden. Wir sind in Deutschland. Wir sind in St. Goarshausen. Ich bin glücklich, weil ich Susanne heute sehe. Es ist ein schöner Tag. Ich möchte nicht mehr an diese böse Frau denken."

„Ja, Maria, du hast Recht", sagt Herr Schmidt. „Wir essen zuerst. Du siehst sehr blass aus und du sollst dich hinsetzen. Nach dem Essen suchen wir deine Schwester und später melden wir uns bei der Polizei. Dann lassen wir die Polizei sie suchen. Es ist zu gefährlich."

Herr Schmidt nimmt Frau Schmidt an die Hand und sie gehen langsam ins Restaurant. Sie sind traurig, als sie an die Halskette denken. Sie versuchen alle, nicht daran zu denken.

Die Familien Schmidt und Meier finden einen Tisch auf der Terrasse. Der Kellner kommt und alle bestellen etwas zu trinken. Von der Terrasse hat man einen wunderbaren Blick auf den Rhein. Sie se-

hen eine romantische alte Burgruine. Es ist unglaublich, solche alte Ruinen zu sehen. Es ist schwer zu glauben, dass es hier vor über achthundert Jahren Könige und Ritter gegeben hat. Keine Städte in Amerika sind achthundert Jahre alt.

Alle sprechen über das Leben im Mittelalter. Aber Karl denkt an die Schmidts. Er denkt viel über ihre Probleme nach. Er ist darüber sehr traurig. Karl versteht, warum Frau Schmidt ihrer Schwester die Halskette hier schenken möchte. Teresa sieht, dass Karl traurig ist. Sie sagt: „Gehen wir zur Statue auf dem Felsen. Von da können wir den Rhein und einige Burgen sehen." Karl und Teresa folgen den Schildern zum Park.

Der Felsen ist so hoch, dass man sehr weit sehen kann. Von hier oben sieht man die Schiffe unten auf dem Rhein, die grünen Weinberge, und romantische alte Burgen. „Jetzt weiß ich, dass ich wirklich in Deutschland bin", denkt Karl.

„Schau, das sind Burg Katz und Burg Maus. Und da ist Burg Reichenstein, wo der Raubritter Rheinbodo gewohnt hat", erklärt Teresa.

Karl denkt an die vielen Schiffe, die versunken sind. Er denkt an die Ritter und die Raubritter, die hier gewohnt haben. Dann muss er wieder an die Insektenfrau denken. Er will sie finden. Er muss die Halskette finden.

Karl und Teresa sehen das Freilichttheater und die Loreleystatue. Sie gehen bis zum Rand und schauen nach unten. Die Schiffe unten auf dem Rhein sehen sehr klein aus. Von hier oben kann man sehr weit sehen. Die Aussicht ist wunderschön.

„Es gefällt mir hier oben", sagt Karl. „Es ist fantastisch."

„Mir gefällt es nicht", sagt Teresa. „Es ist zu hoch. Es ist schön, aber ich habe Angst. Ich mag Höhen nicht. Ich gehe zurück zum Restaurant."

„Ja, es ist sehr hoch", sagt Karl. „Wenn man von hier herunter fällt?"

„Wenn man von hier herunter fällt, ist man tot", sagt Teresa.

Teresa dreht sich um und geht zurück zum Restaurant.

Karl geht nicht zurück. Die Stille hier oben gefällt ihm. Plötzlich fühlt er kalte Hände um seinen Hals. Er kann nicht atmen.

„Du kleiner Mistkäfer. Du hast es allen

41

gesagt. Du glaubst, dass du alles weißt." Es ist Lydia Tyler. Karl versucht wegzukommen, aber er kann nicht. Karl hat Angst. Er hat große Angst. In seinem ganzen Leben hat er noch nie so viel Angst gehabt.

„Karl, du wirst hier von dem Loreleyfelsen fallen. Du wirst sehr bekannt werden, weil du hier am Loreleyfelsen sterben wirst. Was werden deine Eltern denken? Werden sie weinen? Und deine Schwester? Was wird sie denken? Sie wird keinen Bruder mehr haben. Sie wird allein mit deinen Eltern sein. Wie traurig, Karl. Deine Schwester wird weinen, wenn du vom Felsen hinunterfällst. Armer Karl. Tot, und nur 16 Jahre alt. Wie traurig."

„Sie sind böse!" schreit Karl. „Sie stehlen und jetzt werden Sie noch eine Mörderin! Hilfe!" Aber keiner hört Karl. Sie sind alle im Restaurant.

„Ich bin keine Mörderin", sagt Lydia. „Jetzt noch nicht. Aber man weiß nie."

Lydia lacht böse. Sie ist nicht nur eine Insektenfrau. Sie ist schlimmer als ein Insekt. Es gibt nichts Schlimmeres als diese Insektenfrau.

„Bitte! Bitte! Lassen Sie mich los!"

schreit Karl.

Lydia hat ein Messer und hält es gegen Karls Hals. Sie schiebt ihn zum Rand des Felsens. Lydia und Karl stehen sehr, sehr nahe am Rande.

„Lassen Sie mich los!" schreit Karl.

„Das ist unmöglich. Du weißt zu viel. Die Halskette der Familie Schmidt ist keine gewöhnliche Halskette. Sie ist sehr wertvoll. Sie ist sehr alt und über eine Million Dollar wert."

„Woher wissen Sie das?" fragt Karl. Karl will mit Lydia sprechen. Solange sie sprechen, hat Karl noch eine Chance.

„Ich kenne Petra Schmidt. Sie hat mir alles über die Halskette erzählt", sagt Lydia.

„Petra Schmidt? Wer ist das?" fragt Karl.

„Petra ist die Tochter von Susanne und die Nichte von Frau Schmidt. Frau Schmidt will ihr die Halskette schenken. Aber das geht nicht. Jetzt nicht mehr. Die Halskette gehört jetzt mir. Sie bekommt die Halskette nicht."

„Was für eine Frau sind Sie?" schreit Karl. „Sie stehlen von einer alten Frau."

„Ich bin eine böse Frau", antwortet

Lydia. „Ich bin sehr böse. Aber jetzt bin ich eine böse und sehr reiche Frau. Ich bin reich, solange du nichts machst. Aber wenn du mit der Polizei sprichst, dann werde ich nicht reich."

Karl macht die Augen zu. Er weiß nicht, was er machen soll. Wenn er versucht, wegzukommen, dann kann er herunterfallen. Er denkt an seinen Körper, der runter auf die Steine stürzt. Wenn er fällt, dann stirbt er.

Karl weiß nicht, was er machen soll, aber er weiß, dass er zu jung zum Sterben ist.

Kapitel sechs

Die Halskette

„Lisa Siebert, lassen Sie das Messer und den Jungen los."

Karl hört einen Mann. Er kennt keine Lisa Siebert. Und er weiß nicht, wer der Mann ist, weil er die Augen zu hat.

Karl macht die Augen auf. Er sieht einen dicken Mann. Es ist der Polizist von Rüdesheim. Er kann es nicht glauben.

„Lisa, machen Sie keine Dummheiten", sagt der Polizist. „Lassen Sie den Jungen los."

„Nein", sagt Lydia. „Der Junge wird sterben."

Der Polizist spricht leise mit ihr. „Lisa, Sie haben schon viele Probleme. Sie brauchen keine größeren Probleme. Lassen Sie den Jungen los."

Karl hört alles. Er denkt: „Sie heißt Lisa. Sie heißt nicht Lydia. Wer ist Lydia?"

„Geben Sie mir das Messer, Lisa",

sagt der Polizist.

Lisa lässt das Messer los. Der Polizist nimmt es.

„Gut, Lisa. Lassen Sie jetzt den Jungen los."

Lisa nimmt die Hand von Karls Hals. Sie schiebt Karl auf den Polizisten zu.

„Du bist ein kleiner Verräter", schreit Lisa.

Es ist Karl egal, was Lisa schreit. Er ist nur glücklich, dass er noch lebt. Er ist nicht vom Felsen hinuntergefallen.

Der Polizist hält Lisa am Arm fest.

„Lisa, warum machen Sie das? Haben Sie nichts gelernt?"

Noch zwei Polizisten kommen angerannt. Sie nehmen Lisa am Arm. Sie sprechen mit ihr, aber Karl hört nicht zu.

Karl geht sehr langsam. Er fühlt sich schlecht und seine Beine sind schwach.

„Was ist los?" fragt der dicke Polizist.

Karl fühlt sich schlecht, aber er möchte nicht darüber sprechen.

„Es geht mir gut. Nichts ist los", sagt Karl. Er lächelt schwach.

„Du siehst ein bisschen blass aus", sagt der Polizist. „Kannst du allein zurück

zum Restaurant gehen?"

„Ja, das kann ich", sagt Karl. „Es ist besser zu Fuß zu gehen, als hinunter zu fallen."

Der Polizist lacht. Lisa lacht nicht. Der Polizist geht mit Lisa hinunter. Sie kann jetzt nicht mehr entkommen. Karl geht auf schwachen Beinen.

Als Karl wieder am Restaurant ist, kommen die anderen Polizisten mit Lisa an. Der dicke Polizist geht mit Karl zu seiner Familie hinüber. Karl freut sich, seine Familie zu sehen.

Der Polizist sagt: „Ihr Sohn ist ein Held."

„Wer? Karl?" fragt Teresa. „Nein, das glaube ich nicht."

Der Polizist lächelt Teresa an und sagt ihr: „Doch, es stimmt. Karl hat uns geholfen, eine sehr böse Frau zu fangen."

„Karl? Wirklich?" fragt der Vater.

„Karl, was ist los? Du siehst blass aus", sagt die Mutter, als sie Karl anschaut.

„Es geht mir gut, Mutti", sagt Karl. „Es ist nichts Schlimmes passiert."

„Lisa Siebert ist eine Diebin. Sie ist eine sehr böse Frau. Sie stiehlt Halsketten und Uhren. Sie stiehlt immer von alten Leuten. Sie stiehlt immer von amerikanischen Touristen", erklärt der Polizist. „Sie wohnt hier in Deutschland und folgt immer den amerikanischen Touristenbussen."

„Wie furchtbar!" sagt die Mutter.

„Ich habe mit Karl in Rüdesheim gesprochen. Ich habe alles aufgeschrieben, und dann habe ich an Lisa Siebert gedacht", erklärt der Polizist.

„Aber Lydia ist aus New York oder Lisa ist aus New York", sagt Karl. „Woher wissen Sie ihren Namen?"

„Alle Polizisten in Deutschland kennen sie", sagt der dicke Polizist. „Sie wohnt nicht in New York und sie ist nicht Amerikanerin. Sie wohnt in Deutschland. Wenn es in einer Stadt Touristen gibt, dann ist Lisa da. Sie ist immer in Städten, wo es Touristen gibt. Sie ist eine schlimme Diebin. Sie hat schon viel gestohlen. Sie hat von vielen Touristen gestohlen."

„Also heißt sie nicht Lydia", sagt Karl.

„Nein, sie benutzt viele verschiedene Namen", sagt der Polizist.

„Warum sind Sie hier in St. Goarshau-

sen?" fragt die Mutter.

„Nachdem ich mit Karl in Rüdesheim gesprochen habe, bin ich hierher gekommen. Ich wollte wissen, ob der Junge von Lisa gesprochen hat. Als ich auf den Felsen gekommen bin, habe ich gewusst, dass es die bekannte Lisa Siebert war", antwortet der Polizist.

„Das gefällt mir", sagt Teresa. „Mein Bruder ist ein Held."

„Du bist wirklich ein Held, Karl", sagt die Mutter.

„Gut gemacht, mein Sohn", sagt Karls Vater.

„Ja, Karl, wirklich gut gemacht. Sehr gut gemacht!" sagt Teresa.

Während alle sprechen, sehen sie die Familie Schmidt. Eine andere alte Frau ist bei ihnen. Ein sehr schönes Mädchen steht auch da.

„Frau Schmidt, wir haben eine wichtige Nachricht für Sie", sagt Karls Mutter.

„Hallo", sagt Frau Schmidt. Sie stellt ihnen die Anderen vor. „Das ist meine Schwester Susanne und ihre Tochter Petra."

Alle grüßen sich. Karl schaut Petra an und lächelt.

„Was für eine Nachricht?" fragt Frau Schmidt.

„Karl kann es erklären", sagt der Vater.

„Die Polizei hat Ihre Halskette gefunden", sagt Karl. „Und sie haben die Diebin."

Frau Schmidt ist sehr froh. Sie fragt aufgeregt: „Wo ist die Halskette?"

Einer von den Polizisten kommt zu ihnen herüber. In der Hand hat er die schöne Halskette. Die Halskette ist aus Gold und hat Diamanten und andere Juwelen.

Frau Schmidt nimmt die Halskette. Jetzt ist sie sehr glücklich.

„Danke", sagt sie zu Karl und zu dem Polizisten. „Danke für alles. Danke, dass Sie die Halskette gefunden haben."

„Bitte schön", sagt der Polizist.

„Gern geschehen", sagt Karl.

„Jetzt können wir Susanne und Petra die Halskette schenken", sagt Herr Schmidt.

„Heute ist ein besonderer Tag für uns alle", sagt die Mutter. „Mein Sohn ist ein großer Held."

Karl wird rot.

„Gehen wir etwas essen", sagt Karl. „Ich habe wieder Hunger."

„Diebe suchen macht Hunger", sagt der Vater und lächelt.

Die Familie Meier lacht. Der Polizist dankt Karl wieder und geht. Lisa ist nicht mehr da. Karl weiß, dass jetzt alles gut geht. Morgen fliegen sie wieder nach Hause. Das war das interessanteste Erlebnis seines Lebens.

WORTSCHATZ

The words in the vocabulary list are given in the same form that they appear in in the story. Unless a subject of a verb in the vocabulary list is expressly mentioned, the subject is third-person singular. For example, **anschaut** is given as only looks at. In complete form this would be she, he or it looks at.

German has a lot of separable two-part verbs. When the two parts are separated, the order of them is often switched. For example, **steigen ein** means (we/you/they) get on, and **einsteigen** is the dictionary form. In some cases, one or more other words come in between the two parts. For instance, **einladen** is the dictionary form and **lade ... ein** is the familiar command for invite ... , where a person's name goes in place of the dots. In dictionaries these verbs are listed as whole words, and in most cases the first part is a short syllable such as **an, auf, aus, ein** or **zu**. The dictionary form is given in parentheses in the list below.

Abbreviations: adj. = adjective, fam. = familiar, pl. = plural,
p.p. = past participle; f = feminine, m = masculine, n = neuter.

abend *evening*
heute abend *this evening*
Abend m *evening*
Abendessen n *dinner*
abends *in the evening*
aber *but*
abgemacht *agreed*
achthundert *eight hundred*
alle all, everybody
allein *alone*
allen *all*
alles *everything*
als *when, than also so, so then*

also gut *all right then*
alt, alte, alten *old*
altes *old*
Altstadt *f old (section of) town*
am (an + dem) *on the*
am nächsten morgen *the next morning*
hält Lisa am Arm *holds onto Lisa's arm*
Amerikanerin *f American girl or woman*
amerikanischen *American (adj.) an at, to, about*

56

an ... kommt (ankommen) *gets to, arrives at ...*
  erinnerst du dich an ...? *do you remember ...?*
  fährt an ... vorbei (vorbeifahren) *goes by ..., goes past ...*
  ich habe an ... gedacht *I thought about ...*
  kommt gut in ... *an arrives safely in, at ...*
  machen (sie) die Rheinfahrt an ... vorbei *(they) take a Rhine cruise past ...*
  schauen sich an *look at each other*
andere, anderen, anderes *other*
anders *other*
angenehm *pleasant*
angerannt *running up*
  angerannt kommen *come running up*
Angst *f fear*
anschaut *looks at*
antwortet *answers (verb)*
Arbeit *f work, job*
ärgert sich über *gets angry with, gets annoyed at*
arm, arme, armer *poor*
atmen *breathe*
auch *also, too*
auf *in, on, at, for*
  auf Deutsch *in German*
  Blick auf *view of*
  schreibt ... auf *writes ... down*
  steht auf *stands up*
  wir warten auf dich *we're waiting for you*
aufgeregt *excited*
aufgeschrieben *written down*
Augen *n eyes*
aus *out, from, out of*
  sehen ... aus *(they) look ..., appear*
  sieht ... aus *looks ..., appears*

  steigen aus *disembark, get off*
  vom ... aus *from*
außer *except*
Aussicht *f view*
aussieht *looks like*
  wie ... aussieht *looks like ...*
  wie sie aussieht *what she looks like*
aussteigt *gets off*
Badezimmer *n bathroom*
bald *soon*
Banken *f banks*
Bankenzentrum *n banking center*
beginnt *starts*
bei *at, with*
  bei dieser Reise *on this trip*
  sich bei ... melden *report to*
beide *both*
Beine *n,* **Beinen** *legs*
Beispiel *n example*
  zum Beispiel *for example*
bekannt, bekannte *well- known*
bekommt *gets*
beliebten *popular*
benutzt *uses (verb)*
beobachten *to observe*
beobachtet *observes*
beraubt *robs*
bereit *ready*
bergauf *uphill*
Bericht *m report*
besichtigt *visits (verb)*
besondere, besonderer *wonderful*
besser *better*
bestellen *(they) order*
bestellt *ordered (p.p.)*
bestimmt *surely*
besuchen *to visit*
bevor *before*
Bier *n beer*
bin *am*
bis *up to, until*

bisschen: ein bisschen *a little*
bist *(you) are (fam.)*
bitte *please*
bitte schön *you're welcome*
blass *pale*
Blau: ist in Blau *is (painted) blue*
blaue *blue*
bleibt *is staying*
Blick *m view*
Bluse *f blouse*
böse, bösen *bad, evil*
Bratwurst *f sausage*
brauchen *to need*
braune, braunes *brown*
bringe *(I) bring*
bringen *to bring*
Bruder *m brother*
Burg *f castle*
Burgen *castles*
Burgruine *f,* **Burgruinen** *castle ruins*
Bus *m:* **mit dem Bus** *on the bus, by bus*
Busreise *f bus trip*
Chance *f chance*
Cola *n soda, pop, soft drink, Coca-Cola*
da *there*
dahin *there*
Danke *thanks, thank you*
dankt *thanks (verb)*
dann *then*
daran *about it*
  denkt daran *thinks about it*
  du hast keinen Spaß daran *you're not having any fun (in this situation)*
darauf *on it*
darf *may*
  Was darf es sein? *What would you like?; What will it be?*
darüber *about it*

darüber nachdenken *to think about it*
dass *that (conjunction)*
dasselbe *the same*
dein, deine, deinen *your*
dem, den *the*
denke *(I) think*
denken *to think*
denkst *you think*
denkt *thinks*
denn *then*
denselben *the same*
der *the*
des *of the*
  in der Nähe des *near the*
  in Richtung des Parks *toward (in the direction of) the park*
Deutsch *German*
  auf Deutsch *in German*
deutsche, deutsches *German (adj.)*
Deutschland *Germany*
Deutschlands *of Germany*
Diamant *m diamond*
Diamanten *diamonds*
dich *you*
dick, dicke, dicken *heavy, fat*
Dieb *m thief (male)*
Diebe *thieves*
Diebin *f thief (female)*
diese, diesem, dieser *this*
dir *you, to you*
  gefällt dir ...? *do you like ...? (does ... please you?)*
direkt in *right in*
Dirndl *n dress worn in southern Germany*
doch *but, yes (often gives emphasis or contradicts a negative)*
  doch, es stimmt *but yes, he is; it's true*
  du warst doch mit *you were*

along (with us), weren't you?
ich bin doch froh I really am happy
lächle doch but gee, smile; smile, won't you?; come on and smile; smile, for goodness' sake
dreht sich um turns around
dumm dumb
Dummheiten f stupidity, stupid act
machen Sie keine Dumm- heiten don't do anything stupid
dunkelblaue dark blue
dunkles dark
dünn thin
durch through
Ecke f corner
egal: es ist Karl egal it's all the same to Karl
Ehepaar n married couple
Ehepaare married couples
Ehepaars of the married couple
ein a, an, one
lade ... ein (einladen) invite (fam. command)
steigen ein (einsteigen) (we/ you/they) get on
einige some
eins one
Eltern f parents
von seinen Eltern from his parents
Ende n end
endlich finally
entkommen to escape
entlang along
Entschuldigung f excuse me
erinnerst du dich an ...? do you remember...?
erklären to explain
erklärt explains
Erlebnis n experience

erste, ersten first
erzählt tells
essen eat
etwas something
so etwas gibt es nicht there isn't such a thing
so etwas Schönes haben wir nicht we don't have anything so beautiful
fahren to ride, to drive, to go
fährt travels, goes
fallen to fall
fällt falls
Familie f family
Familien families
fangen to catch
Fanta n Fanta (brand of orange soda)
fantastisch, fantastische fantastic
fast almost
fein fine, very nice
Felsen m rocks
des Felsens of the rocks
Fenster n window
Fenstern windows
fest firmly
finde (I) find
finden to find
findet finds
fliegen (they) fly
fliegt flies (verb)
fließt flows
Flug m flight
Fluss m river
folgen (they) follow
folgt follows
Folkloreabend m folklore evening
fragt asks
Frankfurter Frankfurt (adj.)
Frau f woman, wife
freien free, available
Freilichttheater n open-air theater
freue: ich freue mich I am happy

freuen: **wir freuen uns** *we are happy*
Sie freuen sich *you are happy*
freut: es freut mich *it makes me happy*
Frites: Pommes Frites *f French fries*
froh *happy, glad*
fröhlich *happily*
fühlt *sich feels*
führt *leads*
Führung *f tour*
für *for*
furchtbar, furchtbare *awful*
Fuß *m foot*
Gang *m corridor, hall*
ganz *completely*
ganze, ganzen *entire, whole*
Gäste *m guests*
geben *to give*
gedacht *thought (p.p.)*
ich habe an ... gedacht
I thought about ...
Gedicht *n poem*
gefährlich *dangerous*
gefallen *(they) please, are pleasing*
die Augen gefallen ihm
he likes the eyes (the eyes please him)
gefällt *pleases*
gefällt mir *(I) like it (it pleases me)*
gefunden *found (p.p.)*
gegeben *given (p.p.)*
gegen *against*
geh *go (fam. command)*
gehabt *had (p.p.)*
gehe *(I) go*
Geheimnis n, Geheimnisse
secret
gehen *go*
gehen wir *let's go*

Gehen wir jetzt etwas essen?
Shall we go eat something now?
geholfen *helped (p.p.)*
gehört *heard (p.p.)*
geht *goes*
es geht mir gut *I'm fine (it's going well for me)*
geht's (geht es): mir geht's gut *I'm fine (it's going well for me)*
gekleidet *dressed (p.p.)*
gekommen bin *(I) came (p.p.)*
gelaunt: du bist schlecht gelaunt
you're in a bad mood
gelernt *learned (p.p.)*
gelesen *read (p.p.)*
gemacht *made, done (p.p.)*
gut gemacht *well done*
gemütliches *cosy, comfortable*
genau *exactly*
gern *gladly*
gesagt *said (p.p.)*
Geschäft *n store*
geschehen: gern geschehen *not at all, you're welcome*
Geschenk *n gift*
gesehen *seen (p.p.)*
gesprochen *spoken (p.p.)*
gestohlen *stolen (p.p.)*
Getränke *n beverages*
gewöhnliche *ordinary*
gewohnt *lived (p.p.)*
gewusst *knew (p.p.)*
gibt *gives*
es gibt *there is, there are*
gibt es *there are, there is*
glänzendes *shining*
glattes *straight*
glaube *(I) think, (I) believe*
glauben *(we/you/they) think, believe*
glaubst *(you) think, believe*
glaubt *thinks, believes*

gleich *at once, right away*
glücklich *happy*
goldenes *golden*
grausam *terrible, dreadful*
groß, große, großes, großer,
  großen *big, large, tall*
Großeltern *grandparents*
größeren *bigger*
Großmutter *f grandmother*
größte *biggest*
grünen *green*
grüßen *to greet*
grüßt *greets, says hello to*
gut *good, well*
  es geht mir gut *I'm fine (it's*
  going well for me)
  mir geht's gut *I'm fine (it's going*
  well for me)
guten *good*
  guten Abend *good evening*
Haar *n,* **Haare** *hair*
habe *(I) have*
haben *to have, (we/you/they) have*
hallo *hello*
Hals *m neck*
Halskette *f necklace*
Halsketten *necklaces*
hält *holds*
  hält Lisa am Arm *holds onto*
  Lisa's arm
Hände *f,* **Händen** *hands*
Handtasche *f handbag*
hast *(you) have (familiar)*
hat *has*
hatte *had*
Hause *house*
  da sind wir zu Hause *we are at*
  home there
  sie fliegen nach Hause *they are*
  flying home
Heine *Heinrich Heine, German Ro-*
  mantic poet (1797-1856)

heiße: ich heiße *I am called; my*
  name is
heißt *is called, is named*
Held *m hero*
helfen *to help*
Herr *m,* **Herrn** *Mister, Mr.*
herüber *over*
  kommt ... herüber *comes over*
herüberkommen *to come over*
herumlaufen *to run around*
herunter *down*
herunterfallen *to fall down*
heute *today*
hier, hierher *here*
Hilfe *f help*
hin: Sie geht da hin, wo es viele
  Leute gibt. *She goes to places*
  where there are a lot of people.
hinsetzen *sit down*
hinter *behind*
hinüber *over*
  geht ... hinüber *goes over*
hinunter *under*
hinunterfällst *(you) fall down*
hinuntergefallen *fell down (p.p.)*
hoch *high*
Hochhäusern *n skyscrapers*
Hochzeitsreise *f honeymoon*
Höhen *f heights*
hören *(to) hear*
hört *hears*
Hose *f pair of pants*
Hosentasche *f pants pocket*
Hunger *m:* **ich habe Hunger** *I'm*
  hungry
ich *I*
ihm *(to) him*
ihn *him*
ihnen *(to) them*
ihr *her, to her*
ihr, ihre *their, her*
Ihre *your*

ihrem *her*
ihren *their*
ihrer *to her*
Ihrer *your*
im (in + dem) *in the*
immer *always*
in *in, into*
  ist in Blau *is (painted) blue*
ins (in + das) *in the, into the*
Insekt *n insect*
Insektenfrau *f insect woman*
Insekts: eines Insekts *of an
  insect*
interessant *interesting*
interessanteste *most interesting*
isst *eats*
ja *yes, indeed*
  das ist ja furchtbar *that's really
  awful*
Jacke *f jacket*
Jahre *n*, Jahren *years*
jemand, jemandem *someone*
jetzt *now*
jung, junge, junges *young*
Junge *m*, Jungen *boy*
jünger *younger*
Juwelen *n jewels*
kalte, kalten *cold*
kämmt *combs (verb)*
kannst *(you) can (fam.)*
Kapitel *n chapter*
kaputt *broken, smashed*
Karls *Karl's*
Karten *f cards*
Kartoffelklößen *m potato
  dumplings*
Käse *m cheese*
Käsekuchen *m cheesecake*
Katz: Burg Katz *f Cat Castle*
kaufen *to buy*
keine, keinen *no (adj.)*
keinem, keiner *no one*

er möchte mit keinem sprechen
  he doesn't want to talk to anyone
ihm die Reise keinen Spaß
  macht *the trip isn't any fun for him;
  he isn't having any fun on the trip*
Kellner *m waiter*
kenne *(I) know*
kennen *to know*
kennenzulernen *to meet, become
  acquainted*
es ist nett, Sie kennenzulernen *it
  is nice to meet you*
kennt *knows*
Kind *n child*
Kinder, Kindern *children*
klar *clear; of course*
  klar? *okay?; you understand?; is
  that clear?*
  klar ist das Essen gut *of course the
  food is good*
Kleid *n dress*
klein, kleine, kleinen, kleiner,
  kleines *small*
Kneipe *f pub, bar*
komisch, komische *odd, strange*
komm *come (fam. command)*
kommen *to come*
  sie kann nicht weit kommen *she
  can't get far*
kommt *comes*
  an ... kommt (ankommen) *gets
  to, arrives at ...*
  kommt gut in ... an (ankommen)
  arrives safely in ...
Könige *m kings*
können *(they) can*
Körper *m body*
krank *ill*
Küche *f kitchen*
Kurven *f curves*
lächeln *to smile*
lächelt *smiles (verb)*

lachen *laugh, are laughing*
lächle *smile (fam. command)*
  lächle doch *but gee, smile; smile,*
  won't you?; come on and smile;
  smile, for goodness' sake
lacht *laughs, is laughing*
lade ... ein (einladen) *invite (fam.*
  command)
lang, lange, langen, langes *long*
lange *for a long time*
ich suche sie schon lange *I've*
  been looking for her for a long time
langsam *slow, slowly lassen to let*
lassen ... los (loslassen) *let go of...*
lässt *lets*
  lässt ... los (loslassen) *lets go of*
laut *loud*
leben *to live*
Leben *n life*
Lebens: seines Lebens *of his life*
lebt *lives (verb)*
Legende *f legend*
leid: es tut mir leid *I am sorry (it*
  does me sorrow)
leise *quietly*
leitet *leads (verb)*
lernen *to learn*
lesen *to read*
letzten *last*
Leute, Leuten *people*
Licht *n light*
Lied *n song*
lila *purple*
Lippen *f lips*
Lokale *n bars, pubs*
Loreleyfelsen *m,* **Loreleyfelsens**
  Loreley rocks on the Rhine River
Loreleystatue *f Loreley statue*
los: lassen ... los (loslassen) *let go*
  of ... (command)
  nichts ist los *nothing is wrong*
  was ist los? *what's the matter?;*

what's going on?
lügt *lies (verb)*
mache *(I) do*
machen *to do, to make*
  die Reise ... machen *take the trip*
machst *(you) do, make*
macht *makes*
  macht eine Reise *is taking a trip*
Mädchen *n girl*
mag *(I) like*
Mal *n time, instance*
mal: schau mal! *look here! (fam.*
command)
man *one, you, they (impersonal)*
manchmal *sometimes*
Mann *m man*
Männer *men*
Maus *f mouse*
mehr *more*
mein, meine *my*
meiner *my, (of) my*
melden: sich bei ... melden *report*
  to ...
Messer *n knife*
mich *me*
Mineralwasser *n mineral water*
mir *(to) me*
  gefällt mir *(I) like it (it pleases*
  me)
  es geht mir gut *I'm fine (it's*
  going well for me)
  es tut mir leid *I am sorry (it does*
  me sorrow)
  mir geht's gut *I'm fine (it's going*
  well for me)
Mistkäfer *m (literally) dung beetle*
mit *with*
  mit dem Bus *on the bus, by bus*
miteinander *with one another*
Mittelalter *n Middle Ages*
möchte *(I, she, he) would like*
möchten *(we/you/they) would*

möglich *possible*
Mörderin *f murderer (female)*
Morgen *m morning, tomorrow*
  am nächsten Morgen *the next
  morning*
Mund *m mouth*
Museen *n museums*
Musik *f music*
muss *(I/he/she/it) must, have/
  has to*
müssen *(we/you/they) must*
musst *(you) must (fam.)*
Mutter *f mother*
Mutti *f mom*
nach *to, after*
  denkt ... darüber nach *thinks
  about ...*
  denkt über ... nach *thinks about*
  ich denke über ... nach *I'm
  thinking about ...*
  rennt ... nach *runs after ...*
  schauen nach unten *(they) look
  down below*
nachdem *after*
**nachdenken: darüber nach-
denken** *to think about it*
Nachricht f *news*
nächsten *next*
nahe *near, close*
Nähe: in der Nähe *f nearby*
  in der Nähe des *near the*
Namen *m name(s)*
natürlich *naturally*
neben *next to*
Neckar *f Neckar River*
nehmen *to take*
nein *no*
nett, nette *nice*
Nichte *f niece*
nichts *nothing*
nie *never*
niemandem, niemanden *no one*

nimmt *takes*
noch *still, yet, even, more*
  er lebt noch *he is still alive*
  noch nicht *not yet*
  noch mehr *even more*
  noch zwei Polizisten *two more
  police officers*
Nordsee *f North Sea*
nur *only*
ob *(short for* **oberhalb***) over, above*
  Rothenburg ob der Tauber
  Rothenburg above the Tauber River
oben *above*
oder *or*
oft *often*
ohne *without*
Oma *f grandma*
Park *m park*
Parks *of the park*
  in Richtung des Parks *toward (in
  the direction of) the park*
passiert *happened (p.p.)*
  es ist nichts Schlimmes passiert
  nothing bad happened
plötzlich *suddenly*
Polizei *f police*
Polizist *m police officer*
Polizisten *police officers, police
  officer*
Pommes Frites *f French fries*
Probleme *n problems*
Pullover *m sweater, pullover*
Rand *m,* **Rande** *edge*
  zum Rand *to the edge*
  am Rande *at the edge*
Rathaus *n town hall*
Raubritter *m robber baron*
Recht *n right*
  du hast Recht *you are right*
  hat Recht *is right*
reich, reiche *rich, wealthy*
Reise *f trip*

die Reise ... machen *take the trip*
macht eine Reise *is taking a trip*
Reisegruppe *travel group*
reisen *(they) travel*
rennt *runs*
rennt ... nach *runs after ...*
Rheinfahrt *f Rhine cruise*
richtig *correct, correctly*
Richtung *f direction*
  in Richtung des Parks *toward*
  (in the direction of) the park
Ritter *m knight, knights*
romantische *romantic*
rot *red*
Rouladen *f beef rolls or cabbage*
  rolls containing beef
Rucksack *m backpack*
rufe *(I) call*
ruft *calls (verb)*
ruhig: verläuft ruhig *goes*
  smoothly
Ruinen *f ruins*
Rundgang *m: als sie einen*
  Rundgang an der Stadtmauer
  entlang machen *as they take a*
  walk along the city wall
runter *down*
  der runter ... stürzt *which falls*
  down
Sachen *f things*
sag *say (fam. command)* sage *(I) say*
sagen *to say*
sagst *(you) say (fam.)*
sagt *says*
schade: wie schade *what a pity*
schau *look (fam. command)*
  schau mal! *look here!*
schauen *to look*
  schauen sich an *(they) look at*
  each other
schaut *looks*
schaut ... an *looks at ...*

schenken *to give (a gift)*
schicken *to send schiebt shoves*
Schiff *n ship*
Schiffe, Schiffen *ships*
Schifffahrt *f ship journey*
Schild *n sign*
Schildern *signs*
schlafen *sleep*
schlecht, schlechte *bad*
schlimme *bad*
schlimmer *worse*
schlimmeres *worse*
  nichts Schlimmeres *nothing*
  worse
schlimmes *bad*
  nichts Schlimmes *nothing bad*
Schloss *n castle*
Schlösser *castles*
schmeckt *tastes*
schnell *quickly, fast*
Schnitzel *n veal cutlet*
Schokoladensahnetorte *f choco*
  late cream cake
schon *already*
schön, schöne, schönen, schöner,
  schönes *beautiful, pretty*
schreibt *writes*
schreit *shouts*
Schuhplattler *m traditional*
  Bavarian folk dancer (shoe-slapper)
Schule *f school*
schwach *weak(ly)*
schwachen *weak*
schwarze, schwarzen *black*
Schwarzwälderkirschtorte *f Black*
  Forest cake
Schweiz *f Switzerland*
schwer *difficult, hard*
Schwester *f sister*
sechs *six*
seekrank *sea sick*
sehe *(I) see*

sehen *to see*
sehr *very*
sein *to be*
sein, seine, seinem, seinen, seiner, seines *his*
seit: seit vielen *Jahren for many years*
selben *same*
selber *themselves*
selbst *myself*
setzen: sie setzen sich *they sit down*
setzt: sie setzt sich *she sits down*
sich *herself, himself, themselves, each other, one another*
sicher *sure, certain, certainly*
Sie *you*
sie *they, she*
siehst *(you) see*
sieht *sees*
sind *(we/you/they) are*
singen *(we/you/they) sing*
singt *sings*
sitzen *(we/you/they) sit*
sitzt *sits*
so *so*
so etwas gibt es nicht *there isn't such a thing sofort immediately*
Sohn *m son solange as long as*
solche *such*
soll *should*
sollst *(you) should*
Sommerkleidung *f summer clothing*
sonst *otherwise*
Sorgen *f cares, worries*
Sorten *f kinds, sorts*
Spaß *m fun*
　es macht Spaß *it's fun*
　ihm die Reise keinen Spaß macht *the trip isn't any fun for him, he isn't having any fun on*

the trip
spät *late*
später *later*
Spätzle *f Bavarian noodle dish*
spazieren: wir gehen spazieren *we're going for a walk*
Speise *f food*
Speisekarte *f menu*
spielen *(we/you/they) play*
spreche *(I) speak*
sprechen *(we/you/they) speak*
sprich *speak (fam. command)*
sprichst *(you) speak*
spricht *is talking, is speaking*
St. (Sankt) *Saint, St.*
Staaten *m states*
Stadt *f city*
Städte, Städten *cities*
Stadtmauer *f city wall*
Stammtisch *m table reserved for regulars*
steckt *sticks, puts*
stehen *(they) stand*
stehlen *(you) steal*
steht *stands*
steigen aus (aussteigen) *(we/you/they) disembark, get off*
steigen ein (einsteigen) *(we/you/they) get on*
Steine *m stones*
stellt ... vor (vorstellen) *introduces*
　sie stellt ihnen die Anderen vor
she introduces the others to them
sterben *to die*
stiehlt *steals*
Stille *f silence*
Stimme *f voice*
stimmt: das stimmt *that's correct*
stirbt *dies*
stör *disturb, bother (fam.command)*
　stör mich nicht *don't disturb me, don't bother me*

Straße *f street*
Stühle *m chairs*
stürzt *falls, plunges*
suche *(I) look for, seek* **suchen** *(we/ you/they) look for* **sucht** *looks for*
super *great, super*
Tag *m day*
tanzen *to dance (we/you/they) dance*
tanzt *dances*
Tauber *f Tauber River*
Terrasse *f terrace*
teures: etwas Teures *something expensive*
Theaterstück *n play*
Tisch *m table*
Tische *tables*
Tochter *f daughter*
tollen *great*
tot *dead*
Touristen *m tourists*
Touristenbussen *m tourist busses*
Touristen-Kleidung *f tourist clothes*
Tourleiterin *f female tour guide*
tragen *(they) are wearing*
trägt *is wearing*
traurig *sad, sadly*
trinken *(we/you/they) drink*
trinkt *drinks*
tun *to do*
tut: es tut mir leid *I'm sorry*
über *about, over, more than*
   ärgert sich über *gets angry with, gets annoyed at*
übermorgen *the day after tomorrow*
überrascht *surprised*
Uhr *f :* **es ist ... zwölf Uhr** *it's ... 12 o'clock*
Uhren *f watches*
um *around*
   um ... zu *in order to ...*
ungewöhnlich *unusual*

unglaublich *unbelievable*
unglücklich *unhappy*
unmöglich *impossible*
uns *us*
unsere, unseren *our*
unserer *(to) our*
unten *underneath*
   nach unten *down below*
unter *under*
ursprünglich *originally*
Vater *m father*
Vati *m dad*
verärgert *angry*
verbringen *spend (time)*
Vereinigten Staaten *m United States*
verläuft ruhig *goes smoothly*
Verräter *m traitor*
verrückt *crazy*
verschiedene *different*
versinken *sink*
verspreche *(I) promise*
versteht *understands*
versuch *try (fam. command)*
versuchen *(we/you/they) try*
versucht *tries*
versunken *sunk*
viel *a lot (of), much*
viele, vielen *many, a lot of*
vieles *much*
vielleicht *perhaps*
vier *four*
vierjähriges *four-year-old*
Volkslied *n folk song*
voll *full*
vom (von + dem) *from the*
   vom ... aus *from the*
von *from, of*
vor ... ... *ago*
   stellt ... vor (vorstellen) *intro- duces*
   sie stellt ihnen die Anderen

vor *she introduces the others to them*
vorbei *by, past*
  fährt an ... vorbei (vorbei fahren) *goes by ..., goes past ...*
vorgestern *day before yesterday*
Vorstellung *f performance*
wahr *true*
  nicht wahr? *right?, isn't it?*
während *while*
Walzer *m waltz*
war *was*
warst *(you) were*
warten *(we/you/they) are waiting*
wartet *wait (pl. fam. command)*
warum *why*
was *what*
Wasser *n water*
weg *away*
wegschauen *look away*
wegzukommen *get away*
weil *because*
Weinberge *m vineyard*
weinen *(we/you/they) cry*
Weinfass *n wine cask*
weiß *knows, (I) know*
weiße, weißen *white*
weißt *(you) know*
weit *far*
  sie kann nicht weit kommen *she can't get far*
wem *(to) whom*
wenn *if, when*
wer *who*
werde *(I) will; (I) become*
werden *(we/you/they) will; (we/you/they) become*
wert *worth*
wertvoll *valuable*
wichtig, wichtige, wichtiger *important*
wie *like, similar to*

wieder *again*
wiederholt *repeats*
will *(I) want, (he/she) wants*
Willkommen *n welcome*
wir *we*
wird *will, turns, becomes*
wirklich *really*
wirst *(you) will*
wissen *(we/you/they) know wo where*
woher *how; from where*
  Woher wissen Sie das? *How do you know that?*
  Woher kommen Sie? *Where are you from?*
wohl *well*
wohnen *(we/you/they) live*
wohnt *lives*
wollen *(we/you/they) want*
wollte *wanted*
Wort *n word*
wunderbaren, wunderbares *wonderful*
wunderschön *beautiful*
Zähne *m teeth*
zeigen *to show*
zeigt *shows*
Zeit *f time*
Zimmer *n room(s)*
zu *to*
zuerst *first*
zum (zu + dem) *to the*
  zum Abendessen *for dinner*
  zum Beispiel *for example*
zur (zu + der) *to the*
zurück *back*
zurückbekommen *to get back*
zurückgeben *to give back*
zuschauen *to watch*
zuzuschauen *to watch*